Paula Modersohn-Becker
Kinderbildnisse

Serie Piper
Band 609

Zu diesem Buch

Paula Modersohn-Becker liebte Kinder. Die vorliegende Auswahl zeigt Kinderbildnisse aus jeder ihrer Schaffensperioden. Die Darstellungen vermitteln sanfte Melancholie, verträumte Traurigkeit und – gerade weil sie frei sind von Sentimentalität und Gefälligkeit – einen Ausdruck von kindlichem Ernst. In ihrer Einführung gelingt es Christa Murken-Altrogge, die kunsthistorische Eingebundenheit des Werks von Paula Modersohn-Becker und die individuellen Besonderheiten der einzelnen hier gezeigten Bildnisse anschaulich einander gegenüberzustellen.

Paula Modersohn-Becker (1876–1907). Malerin. Studium in Berlin. Ab 1898 in Worpswede. Dort Schülerin von Fritz Mackensen. Mehrere Studienaufenthalte in Paris. Malte vor allem Bildnisse von Frauen und Kindern. Paul Cézanne, Vincent van Gogh und Paul Gauguin waren ihre Vorbilder bei der Suche nach der »Einfachheit der großen Form«.

Christa Murken-Altrogge, geboren 1944. Studierte Kunstgeschichte, Archäologie und Psychologie. Veröffentlichungen u. a.: »Paula Modersohn-Becker. Leben und Werk«, 1980; (zus. mit A. H. Murken) »Prozesse der Freiheit. Vom Expressionismus bis zur Soul and Body Art«, 1985.

Paula Modersohn-Becker
Kinderbildnisse

Einführung und Bildauswahl von
Christa Murken-Altrogge

Mit 12 Farbtafeln und
20 Schwarzweißabbildungen

Mit herzlichen
Weihnachtsgrüßen
von
Irmtraud + Claus

Piper
München Zürich

FÜR WENZEL-HINRICH, JULIAN-HINRICH
UND IMME-CHRISTINE

Weitere Bände in der Serie Piper Galerie

ISBN 3-492-10609-9
Neuausgabe 1988
5. Auflage, 30.–34. Tausend August 1989
(2. Auflage 8.–12. Tausend dieser Ausgabe)
© R. Piper & Co. Verlag, München 1977
Umschlag: Federico Luci,
unter Verwendung des Gemäldes »Mädchenbildnis«
(1905) von Paula Modersohn-Becker
(Von-der-Heydt-Museum, Wuppertal)
Gesamtherstellung: Kösel, Kempten
Printed in Germany

Das in kaum mehr als zehn Jahren herangereifte Werk Paula Modersohn-Beckers weist zu jeder Zeit ihrer Schaffensperioden zahlreiche eindrucksvolle Kinderbildnisse auf. Die junge Malerin, die von 1898 bis zu ihrem frühen Tode 1907 nicht nur in dem stillen Moordorf Worpswede, sondern immer wieder auch in der damaligen Kunstmetropole Paris äußerst engagiert ihrer Kunst nachging, schuf aufgrund einer ganz persönlichen Anteilnahme Kinderporträts, die frei von allem Zufälligen und Zeitgebundenen erscheinen. Sie vermochte dem Kinderbildnis – einem längst klassischen Motiv der Kunstgeschichte – eine unübertroffene Eigenständigkeit und Ernsthaftigkeit zu verleihen.

Seit der Blütezeit der römischen Kunst gehört das Kind zum Themenkanon des Menschenbildes. Doch erst mit Beginn des Christentums erfuhr es eine allmähliche Anerkennung seiner selbst. In der Antike war es lediglich als »speculum naturae« (Cicero) angesehen worden. Noch bis zum einsetzenden 19. Jahrhundert konnte es kaum Anspruch auf Verständnis seiner Eigenart und seiner Bedürfnisse erwarten. So spiegeln denn auch die meisten Kinderdarstellungen in der bildenden Kunst mehr die Absichten der Erwachsenen wider als das eigenen Gesetzen unterworfene Wesen der Kinder.

Erst seit der zweiten Hälfte des 18. Jahrhunderts – Jean Jacques Rousseaus bahnbrechender Roman »Emile« erschien 1762 – erkannte man allmählich, daß das Kind eine eigene, in ständiger Wandelbarkeit begriffene Wesensart habe. Seitdem schenkten die Künstler dem Kind erhöhte Aufmerksamkeit, die zu neuen bildnerischen Darstellungsmöglichkeiten führte. Die sich nun wandelnde Einstellung der Gesellschaft zum Kind, das durch Kindergärten und Schulen einen zunehmenden Schutz vor der unbarmherzigen Arbeitswelt erhielt, kann man im Laufe des 19. Jahrhunderts an einer Reihe reizvoller Kinderbildnisse ablesen. So mag es nicht verwundern, wenn gerade Paula Modersohn-Becker als eine dem Menschenbildnis besonders zugewandte Malerin dieses Thema zwischen ihrem 22. und 31. Lebensjahr mit Vorliebe aufgegriffen hat und es neben Stilleben und Landschaftsstudien zu einem wesentlichen Bestandteil ihres künstlerischen Œuvres werden ließ[1].

Paula Modersohn-Becker malte die von ihr porträtierten Kinder in einer großartigen Allgemeingültigkeit und Ursprünglichkeit, wie man sie zuvor nie gesehen hatte. Die junge Künstlerin wandte sich damit mutig von der seit der deutschen Romantik üblichen genrehaften Wiedergabe von Kindern ab. Die malerische Schilderung von Kindern wies damals selbst bei so bedeutenden Künstlern wie Wilhelm Leibl, Hans Thoma oder Philipp Otto Runge häufig idyllische und sentimentale Komponenten auf. Bei Paula Modersohn-Becker dagegen begegnet man keinen gefälligen, heiter verspielten Kindern, sondern unbeholfenen, verschlossenen kleinen Gestalten, die von einem frühkindlichen Ernst und darüber hinaus oft von einer eigenartig verhangenen Trauer geprägt sind. Deutlich sind sie aus dem tradierten Bereich des Mythologischen, Religiösen und Anekdotischen in eine Sphäre des Naturhaft-Kreatürlichen versetzt. Sie entsprachen damit in keiner Weise den Idealvorstellungen der breiten Masse der damaligen Kunstbetrachter.

Die Kinderbildnisse, die die unkonventionelle, selbstbewußte Künstlerin vor dem Ersten Weltkrieg schuf, sind von menschlichem und künstlerischem Engagement gleichermaßen durchdrungen. Bei aller Individualität offenbaren sie stets

6

typisch Kindliches. Ihr starkes Einfühlungsvermögen, das auch als Grundzug ihrer Tagebücher und Briefe zu erkennen ist[2], war wohl neben ihrer hohen malerischen Begabung der tragende Impuls, sich schon früh der Darstellung des Menschen zu widmen. Schon 1898 schrieb sie in ihr Tagebuch: »Wenn ich überhaupt Begabung zur Malerei habe, wird im Porträt doch immer mein Schwerpunkt liegen.« Und drei Jahre später: »Und die malerische Idee des Bildes um einen Menschen zu hängen. Ja, das scheint auch mir ein Traum.«

Den scheuen Kindern auf Modersohn-Beckers Bildern haftet bei aller Realitätserfassung immer eine eigentümliche mystische Unfaßbarkeit an, wie man sie in ähnlicher Weise in der Dichtung von Gerhart Hauptmann, aber auch in den naturphilosophischen Schriften von Carl Hauptmann und Maurice Maeterlinck erkennen kann. Paula Modersohn-Becker wurde durch den Literatenkreis um den damals noch dem Jugendstil verpflichteten Künstler Heinrich Vogeler – zu dem unter anderen so bedeutende Dichter wie Carl Hauptmann, Rainer Maria Rilke und Rudolf Alexander Schröder zählten – schon früh mit der deutschen, vor allem aber mit der nordischen Naturmystik vertraut. Ihre Frage »Wann ist man imstande, Menschen ganz zu kennen? Das ewige ›Was ist Wahrheit?‹, was uns täglich in neuer Gestalt entgegentritt!« beantwortete sie für sich als Malerin mit den Worten »Es muß Mysterium sein«.

Aber noch ein anderer Einfluß hat wohl die menschliche und formale Prägung ihrer künstlerischen Persönlichkeitsauffassung bestimmt: ihr Leben inmitten ärmlicher Kleinbauern und Tagelöhner in einem Dorf am Rande des niederdeutschen Teufelsmoores. In diesem engen Bezirk von Worpswede bei Bremen blieb die Differenzierbarkeit menschlicher Verhaltensweisen gering. Das durch existentielle Sorge gekennzeichnete soziale Milieu ermöglichte auch den Kindern nur eine geringe Entfaltung.

Von klein auf wurden sie in die Mühsal des Lebens und die tägliche häusliche Arbeit einbezogen. Die älteren Kinder mußten gerade in diesen kleinbäuerlichen Hausgemeinschaften schon sehr zeitig die Verantwortung für die kleineren Geschwister und die Sorge um die Haustiere mittragen. Mag sein, daß den Kindern bei Paula Modersohn-Becker in ihrem verschlossenen Gesichtsausdruck und in ihrer passiven Körperhaltung daher wenig unbefangen Kindliches anhaftet (Abb. 11, 15, 16, 22). Viel heiterer malte sie dagegen die Kinder aus ihrem eigenen Familien- und Freundeskreis. Das wird besonders deutlich an den zahlreichen Darstellungen der kleinen Elsbeth, Otto Modersohns Tochter aus erster Ehe (Abb. 7, 19, 27), oder auch an dem Bildnis von Heinrich Vogelers jüngster Tochter Mieke (Abb. 5)[3].

Die Vorliebe Paula Modersohn-Beckers für Kinder war einerseits durch ihre künstlerische, empfindsame Persönlichkeitsstruktur bedingt. Schon bald nach der Eheschließung mit Otto Modersohn (1901) äußerte sich jedoch auch der ganz persönliche Wunsch nach einem eigenen Kind. So schrieb sie 1905 ihrer Mutter aus Worpswede: »Ich blicke ordentlich neidisch auf all das zappelnde neue Leben«, und 1906 schließlich malte sie sich, an ihrem sechsten Hochzeitstag allein in Paris, als Schwangere, ohne es bereits zu sein.

Das ernsthafte, wirklichkeitsnahe Erfassen von Kindern, das den gewohnten romantischen Schleier hinwegnahm, hat kein Geringerer als Rainer Maria Rilke, mit dem sie bereits während ihrer frühen Berliner Zeit, schließlich in Worpswede

8

und in Paris in regem Gedankenaustausch stand, nach ihrem Tod mit wenigen Worten beschrieben: »...und sahst die Kinder so, von innen her getrieben in die Formen ihres Daseins«. Diese kluge, einfühlsame Beobachtung Rilkes, die freilich nicht zu ihren Lebzeiten erfolgt war, verdeutlicht das geniale Vermögen der Künstlerin, die innere und äußere Wirklichkeit des Kindes malerisch zu erfassen. Die einfache Art, mit der sie die kindliche Existenz zur Anschauung brachte, unterscheidet ihre Kinderbildnisse grundlegend von den aus heutiger Sicht gefälligen Kinderporträts des 19. Jahrhunderts. Dies bestätigt sich besonders bei einem Vergleich ihrer Bilder mit den damals beliebten, allzu fröhlichen Kinderbildnissen eines Ferdinand Waldmüller oder Hermann Kaulbach.

In ihren frühen Schaffensjahren vertiefte sich die Künstlerin in das Erscheinungsbild eines Kindes vor allem dann, wenn es physiognomische Besonderheiten aufwies (Abb. 1). Schon bald nach der Jahrhundertwende begann sie sich jedoch immer bewußter vom realen Vorbild zu lösen, um zu einer durchgeistigten, ausdrucksvollen Allgemeingültigkeit zu gelangen (Abb. 10). Gerade an einem sich wiederholenden Sujet wie dem des Kinderbildnisses kann man die künstlerischen Wandlungen der Malerin von den akademischen Anfängen bis zur freien Abstraktion verfolgen.

Das früh ausgeprägte, sehr bewußte Lebensgefühl Paula Modersohn-Beckers, ihre klare realistische Sicht auf die naturhaft-menschlichen Gegebenheiten hatten ein ebenso klar umrissenes Formgefühl zur Folge. Ihrem persönlichen Bemühen um die Einfachheit der Anschauung und des Gefühls entsprach das stilistische Ringen um Größe und Klarheit. Ihre Suche nach dem Gesetz- und Wesensmäßigen des Lebens äußerte sich formal in Maß, Proportion und Harmonie der bildnerischen Gesamtorganisation. Paula Modersohn-Becker war im Leben wie in der Kunst gleichermaßen frei, großzügig und unkonventionell. So hat sich ihre kluge und großherzige Weltsicht unübersehbar auch in der künstlerischen Gestaltung niedergeschlagen.

Offiziell hat sie der damals aktuellen Kunstszene nicht angehört. Dennoch war sie rückschauend eine der progressivsten Künstlerpersönlichkeiten ihrer Generation. Während man zu ihrer Zeit in Deutschland den Impressionismus eines Lovis Corinth oder Max Slevogt sowie die mythologisch-allegorische Malerei Max Klingers und Arnold Böcklins feierte, versuchte sie entschieden, sich vom deutschen Idealismus freizumachen. Während der letzten Periode ihrer begrenzten Schaffenszeit hatte sie bereits wichtige koloristische und formale Stiltendenzen der Fauves und Expressionisten, im Ansatz sogar solche des Kubismus, vorweggenommen. Für einen am bürgerlichen Realismus und Impressionismus geschulten Betrachter mußte ihre Kunst ungewöhnlich, ja fast anmaßend erscheinen.

Viele der bedeutendsten Maler ihrer Künstlergeneration wie etwa Emil Nolde, Karl Hofer, Otto Mueller oder Wassily Kandinsky sollten sich erst Jahre später von den tradierten Bildauffassungen befreien. Gerade in der Zeit von etwa 1900 bis 1906, in der Paula Modersohn-Becker ihren eigenen Stil entwickelte, befand sich die deutsche Kunst im Vergleich zur französischen noch in konventionellen Bahnen[4]. Selbst ihr sonst so aufgeschlossener Mann Otto Modersohn, der ihr künstlerisches Urteil außerordentlich schätzte, zeigte sich um das Jahr 1903, in dem ihre abstrahierenden Formtendenzen erstmals zum Ausdruck kommen, sehr beunruhigt über ihre Malerei: »Sie haßt das Konventionelle und fällt nun in den Fehler, alles lieber eckig, häßlich, bizarr, hölzern zu malen. Die Farbe ist famos, aber die Form! Dieser Ausdruck! Hände wie Löffel, Münder wie Wunden, Ausdruck wie Kretins. Sie ladet sich zuviel auf. Zwei Köpfe, vier Hände auf kleinster Fläche ... und dazu Kinder!« (Tagebuch 1903). Er, der im Gegensatz zu Paula stets um seine menschliche und künstlerische Stellung innerhalb der Worpsweder Malerschaft besorgt war, litt für seine Frau unter der Isolation, in die sie sich begab.

Man kann Paula Modersohn-Beckers künstlerische Leistung kaum würdigen, wenn man sich nicht kurz die wichtigsten Stationen ihres Lebens vor Augen führt. Sie wurde als drittes von sieben Kindern 1876 in Dresden geboren. Ihre Mutter war eine aufgeschlossene, kultivierte Frau. Ihr Vater war Baurat in städtischen Diensten. Ab 1888 wuchs Paula in Bremen in den geordneten Verhältnissen eines Beamtenhaushaltes unbeschwert und wohlbehütet heran. Dennoch scheint sie sich früh einer gewissen Sonderrolle bewußt gewesen zu sein, denn sie äußerte später einmal, daß sie im letzten Sinne wohl ebenso einsam lebe wie in ihrer Kindheit. Nicht zuletzt wohl aufgrund dieser eigenen Erfahrung ist dem Kind in ihren Bildern neben der ihm sonst zugeschriebenen Heiterkeit und Naivität auch die Fähigkeit zur stillen Introvertiertheit eigen.

Ihre frühe Neigung zur Malerei fördern die Eltern nur zögernd. Seit 1892 erhält sie gelegentlichen Zeichenunterricht, zunächst in Bremen, dann in England. Nachdem sie eine solide Lehrerinnenausbildung abgeschlossen hat, darf sie schließlich auf eine Berliner Malerinnenschule gehen. Doch erst mit ihrer

Eheschließung im Jahre 1901 mit Otto Modersohn hat sie alle bürgerlichen Vorstellungen erfüllt.

Nach anfänglicher Begeisterung für die lyrische Landschaftsmalerei der Worpsweder Künstler, zu denen sie sich 1898 als Schülerin von Fritz Mackensen gesellt hatte, erkannte sie sehr schnell, wie begrenzt und ideologisch vorgeprägt deren Anschauungen waren. Sie sah, wie sehr die gesamte deutsche Kunst um 1900 im Konventionellen zu ersticken drohte. Als unruhige, weiterstrebende Künstlerin konnte sie die konservativ-bürgerliche Atmosphäre der Worpsweder Ateliers immer weniger ertragen. Von den Fesseln der Ehe ließ sie sich erst gar nicht belasten, sondern streifte sie sehr bald ab. Bereits 1898 hatte sie ihren Drang nach Selbstverwirklichung kommentiert: »Falsche Nächstenliebe lenkt ab vom großen Ziele.« Vor der Familie versuchte sie sich zu rechtfertigen: »Ich weiß, es ist Egoismus, aber ein Egoismus, der groß ist und nobel und sich der einen Riesensache unterwirft.«

So schuf sie sich, wenn auch unter Konflikten, in den Jahren zwischen 1900 und 1907 die notwendige Freiheit, um mit einer ungewöhnlichen Selbstdisziplin an der Verwirklichung ihres künstlerischen Zieles zu arbeiten: »...bei der Größe der Form, die ich anstrebe, noch dieses Wesenhafte dazu...« (1902). In ihrer leidenschaftlichen Arbeitsweise und in ihrer bewußten Lebensplanung unterschied sie sich als Frau nicht von den übrigen großen Wegbereitern der Moderne wie Cézanne, van Gogh, Gauguin, Matisse oder Picasso – Maler, deren Kunst ihr viele Impulse zu geben vermochte: »...die paar französischen Großen sind ganz ohne Konventionen. Sie wagen, naiv zu sehen, man kann kolossal von ihnen lernen.« Zu dieser Erkenntnis war sie bereits während ihres ersten

Parisaufenthaltes im Jahre 1900 gekommen[5]. Auf die Teilnahme am internationalen Kunstgeschehen in Paris wollte sie auch dann nicht verzichten, als sie durch die Ehe Pflegemutter eines Stiefkindes geworden war. So fuhr sie noch mehrmals 1903, 1905 und 1906/07 in die französische Hauptstadt, wo sie in ärmlichen Hotelzimmern, unter bescheidensten Verhältnissen malte. Bereits 1901 hatte sie in einer für sie charakteristischen Weise bemerkt: »Es ist gut, sich aus Verhältnissen loszulösen, die einem die Luft benehmen.«

In ihrer selbstgewählten Einsamkeit wurde Paula Modersohn-Becker nur gelegentlich durch Besuche der Schwester Herma, ihres Mannes, des Ehepaares Vogeler sowie Rainer Maria Rilkes und Clara Rilke-Westhoffs abgelenkt. Erst während ihres letzten Aufenthaltes fand sie in dem Bildhauer Bernhard Hoetger einen verständnisvollen Künstlerkollegen.

Paula Modersohn-Becker gewann in Paris unschätzbare neue Eindrücke durch den Besuch von Kunstakademien, berühmten Museen und Gemäldesammlungen, von avantgardistischen privaten Galerien sowie durch den persönlichen Kontakt mit Künstlern wie Rodin, Maillol, Vuillard, Rousseau und dem Kreis der Nabis.

So wurde die nur sieben Jahre umfassende intensive Schaffenszeit der Künstlerin von so extremen Polen geprägt, wie sie Worpswede und Paris darstellten. Das stille Moordorf hatte ihre malerischen Kräfte geweckt und eine zwischen Realität und Mystik angesiedelte Menscheninterpretation bestimmt. In diesem Sinne »worpswedisch« blieben auch immer ihre in Paris entstandenen oder von dort beeinflußten Arbeiten. Gerade durch die Verbindung zweier derart verschiedener Eindruckswelten konnte sie – an einem Wendepunkt der europäischen Kunstgeschichte stehend – zu einer so sicheren malerischen Auffassung gelangen.

Während jeder ihrer Schaffensphasen malte Paula Modersohn-Becker auf erstaunlich reiche, vielfältige Weise Kinder aller Altersstufen: vom Säugling in der Wiege bis zum beinah erwachsenen Kind. Um so tragischer und gleichnishafter zugleich erscheint es, daß gerade sie, die ein so inniges Verhältnis zu Kindern hatte, bei der Geburt ihres ersten Kindes sterben mußte.

Im Gegensatz zu den meisten überlieferten Kinderbildnissen, in der Mehrzahl Auftragsarbeiten, entstanden die Modersohn-Beckers ausschließlich nach Modellen ihrer Umgebung. Sie suchte sie in ihrem eigenen Familienkreis und vor allem unter den Worpsweder Bauernkindern, den Armenhauskindern und den Pariser Straßenkindern. Diese Kinder berührten die Künstlerin in besonderem Maße aufgrund ihrer Unbeholfenheit und ihres frühen kindlichen Ernstes. Sie empfand zutiefst ihre bescheidene, natürliche Anmut, deren größtes Gut die umgebende Natur zu sein schien, deren Schmuck ein Kränzchen aus Blumen und deren liebste Spielgefährten Katzen, Hasen und Hunde waren. In ihren Briefen und Tagebuchblättern berichtet die Künstlerin häufig von solchen Kindern. So erwähnt sie beispielsweise 1898 in einem Brief an ihre Familie ein fünfjähriges Mädchen, »...das seine Mutter ungefähr zu Tode prügelte, und das jetzt zur Erholung die Armenhausgänse hüten darf. Nun hat sich das Persönchen in ein Gewebe von Traum und Märchen eingehüllt und hält liebliche Zwiegespräche mit ihrer weißen Schar.« Und einige Wochen später: »Obgleich das kleine Mädel X-Beine hat, bewegt es sich doch mit solch naiver Grazie.«

In allen Kinderbildnissen Paula Modersohn-Beckers kann man eine unvoreingenommene beobachtende Reflexion und zugleich ein weiblich-intuitives Empfinden für die körperlich-seelische Situation der jeweiligen kindlichen Entwicklungsstufe erkennen. Keinesfalls bedeutete ihre Vorliebe für Kinder »das Schoßhafte, Mutterleibswarme, trächtig Gerundete«, wie man es noch 1929 fast diskriminierend in einer Zeitungskritik formuliert hatte, oder war es gar »der gemalte Schrei nach dem Kinde«, wie es der Kunsthistoriker Richard Hamann nannte. Schließlich überwiegen die Bildnisstudien, unter denen ihre Selbstporträts wohl die bedeutendsten sind, ohnehin in ihrem Werk, das weit über vierhundert Gemälde und etwa das Doppelte an Zeichnungen umfaßt. Doch sah sie besonders in den Kindern wie auch in den alten Menschen, die wenig Empfinden für Zeit und Raum haben, jenen Zustand, wie ihn Kurt Badt 1956 für die Bildnisse Cézannes von armen und einfachen Menschen definiert hat: »...hineingehoben in einen höheren Zusammenhang, der aus purem Erleiden des Daseins hervorgeht«. Die Tatsache, daß die Zahl ihrer Kinderbilder in den ersten Jahren nach der Eheschließung besonders umfangreich ist, widerspricht im Grunde nicht ihren künstlerischen Bestrebungen der Wirklichkeitsfindung. Viele große Künstler, etwa Jan Steen, Rembrandt, Renoir oder Picasso, ließen sich gerade durch die Kinder ihres eigenen Familienkreises zu den schönsten Kinderbildnissen anregen.

Daß Paula Modersohn-Becker Kinder einer ärmlichen, hart arbeitenden Bevölkerungsschicht bevorzugt als Modelle nahm, hatte wenig mit einer sozial motivierten Hinwendung zu einer unterprivilegierten Schicht zu tun, wie man es bereits 1883 bei Max Liebermann (etwa bei seinem Waisenhauskind

»Eva«) und schließlich exemplarisch bei Käthe Kollwitz finden kann. Paula Modersohn-Becker stieß im kleinbäuerlichen, abgeschlossenen Worpswede zwangsläufig auf diese Bauernkinder: »Sie suchte nicht das Modell. Sie malte Menschen ihrer Umgebung, die eines Dorfes, so, wie sie waren – Dorfmenschen, aus Inzucht entstanden in der Enge des weltfernen Moordorfes gewachsen, durch mangelhafte Zivilisation, Hygiene und Erziehung fast kretinhaft wirkend« (Ludwig Roselius, 1927). Paula Modersohn-Becker liebte Kinder, unterhielt sich mit ihnen und beschenkte sie. Die Malerin fühlte sich von den bescheidenen, ernsten Kindern in besonderem Maße angezogen, da diese ihrem Bestreben, die menschliche Einfachheit und Ursprünglichkeit zu ergründen und sie künstlerisch umzusetzen, entgegenkamen. Es ist wohl die zum Ausdruck gebrachte Allgemeingültigkeit, das Erfassen des komplexen seelisch-geistigen Da-Seins des Kindes, das ihre Kinderbildnisse so wesentlich von allen anderen unterscheidet. Nur aus der florentinischen Renaissance-Plastik oder der niederländischen Malerei des 17. Jahrhunderts kennt man Kinderbildnisse, die gleichfalls weitgehend frei von idealisierenden oder moralisierenden Momenten sind, doch stets ein heiteres Gemüt offenbaren.

Die ausgeprägte Eigenschaft, sich intensiv mit dem Nur-Menschlichen zu beschäftigen, verbindet Paula Modersohn-Becker in mancher Hinsicht mit den Intentionen von Picasso. Auch in der stilistischen Auffassung finden sich seit 1905 immer mehr Parallelen zu den Kinderporträts aus der blauen Periode Picassos[6]. Gerade die Beschäftigung mit dem isolierten, sich dem augenblicklichen Erleben hingebenden Kind läßt dies anhand mancher Vergleiche deutlich werden. So kann

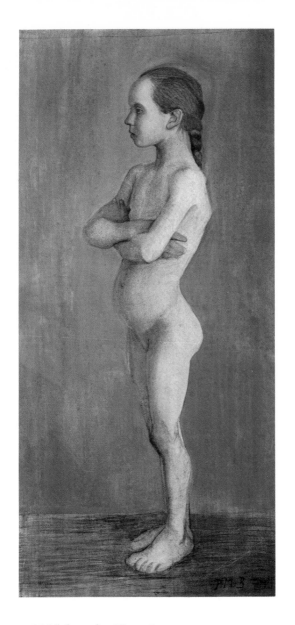

1 *Mädchenakt.* Um 1899

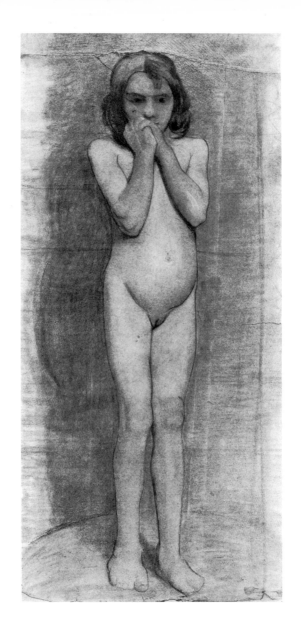

2 *Modellstudie.* Um 1900 (1906?)

3 *Kinderkopf mit weißem Tuch.* Um 1900

4 *Bildnis eines kranken Mädchens.* 1901

5 *Kleines Mädchen mit Perlenkette.* 1902

6 *Kind mit Kaninchen.* 1902

7 *Elsbeth mit Laterne und hockendes Kind mit Hund.*
Um 1903/04

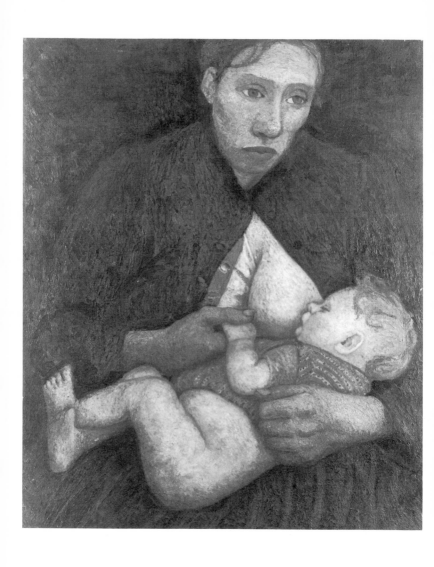

8 *Stillende Mutter.* 1903

9 *Kind in der Wiege.* Um 1903/04

10 *Sitzendes Mädchen mit verschränkten Armen.* Um 1903

11 *Mädchen mit Katze.* Um 1903

12 *Zwei Mädchen.* Um 1905

13 *Kind auf Kissen.* Um 1903/04

14 *Bäuerin mit zwei Kindern am Birkenstamm.* Um 1903/04

15 *Mädchen mit Kind.* Um 1904

16 *Zwei Kinder.* 1904

17 *Der Kinderwagen.* 1904

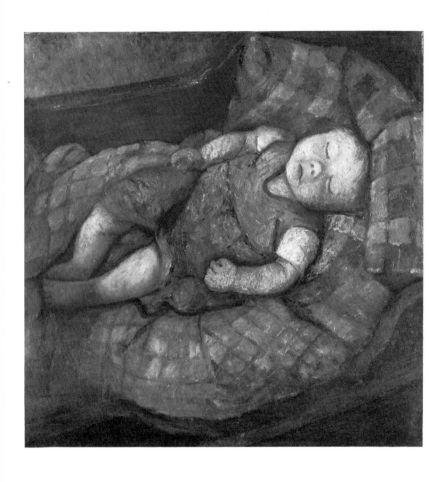

18 *Schlafendes Kind.* Um 1904

19 *Kopf Elsbeth.* Um 1904

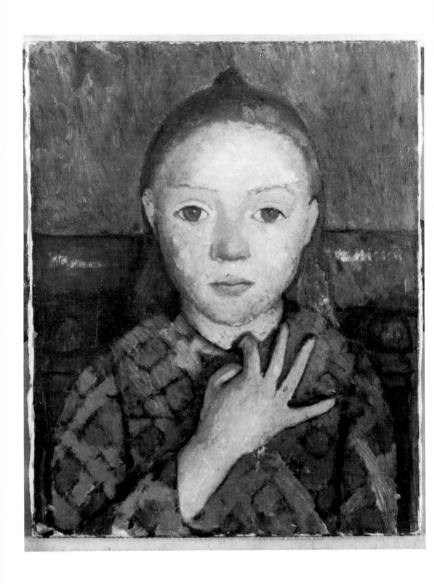

20 *Mädchenbildnis.* 1905

21 *Mädchen am Baumstamm.* Um 1905

22 *Worpsweder Bauernkind auf einem Stuhl sitzend.* 1904/05

23 *Bildnis eines kleinen Mädchens.* Um 1905

24 *Zwei Bauernmädchen mit Trompeten.* Um 1905

25 *Mädchen mit Katze im Birkenwald.* 1905

26 *Zwei Mädchen.* Um 1906

27 *Mädchen zwischen Feuerlilien.* 1906

28 *Junge am Baum.* Um 1906 (?)

29 *Am Boden sitzendes Kind mit Halskette.* 1906

30 *Kinderakt mit Storch.* 1906

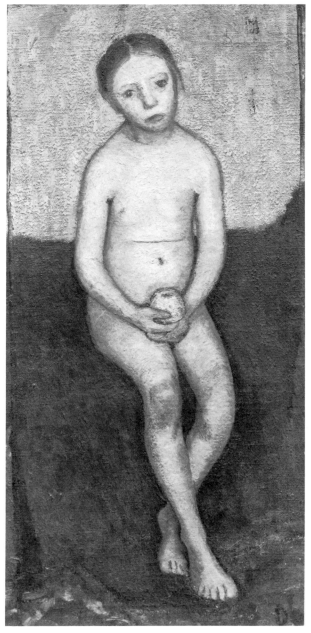

31 *Nacktes Mädchen mit Apfel.* 1906

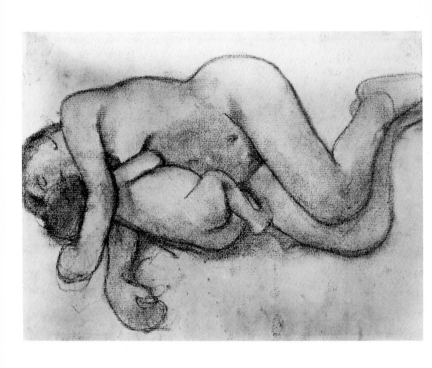

32 *Mutter und Kind.* Um 1906

man sowohl im Stil wie auch im Sujet durchaus Parallelen ziehen, etwa zwischen Paula Modersohn-Beckers »Mädchen mit Katze im Birkenwald« aus der Zeit um 1905 (Abb. 25) und Picassos im Jahre 1901 entstandenem Bild »Kind mit Taube« ziehen. Auch die »Zwei Mädchen« (um 1906; Abb. 26) stehen in der formalen Geschlossenheit und Vereinfachung und in der stillen Hintergründigkeit des kindlichen Erlebens den Kinderbildnissen Picassos um 1905 sehr nahe.

Neben vielen anderen wird sie in Paris auch Picassos Arbeiten kennengelernt haben, die seit 1900 in einigen avantgardistischen Galerien – 1905 exklusiv bei Vollard – zu sehen waren. Es ist sogar möglich, daß Paula Modersohn-Becker dem Spanier im Hause Gertrude Steins persönlich begegnet ist[7]. Aber bei aller Gemeinsamkeit einer auf das Wesentliche reduzierten Ausdruckskunst, in der sie sich auch mit den künstlerischen Absichten von Paul Gauguin, Emile Bernard, Vincent van Gogh oder Edvard Munch berührt, bedeuten ihre Menschen- und besonders ihre Kinderdarstellungen in der ihnen eigenen Würde und Ernsthaftigkeit eine außergewöhnliche, unvergleichliche Erscheinung.

So differenziert und wandelbar Paula Modersohn-Beckers Kinderbildnisse auch gestaltet sind, so findet man doch sich wiederholende Komponenten, die eine persönliche menschliche Aussage und Anteilnahme hervortreten lassen. Solche ins Gleichnishafte erhobene Merkmale zeigen sich etwa in dem Verzicht auf herkömmliche kindliche Attribute, häufig auch auf die Kleidung; statt dessen finden wir dekorativ-symbolische Beigaben von Ketten, Kränzen, Pflanzen und Tieren; schließlich die Betonung der schützenden und bewahrenden Gestik und die Vorliebe für das Verschränken von Armen und

Händen. Immer erscheint das Kind – ob allein, mit der Mutter oder mit Geschwistern – eingebettet in die Natur als untrennbarer Teil derselben. Diese Symbiose mit der menschlichen, tierhaften oder pflanzlichen Natur wird durch die Geschlossenheit der Form und durch die warme, satte Farbgebung verstärkt.

Die Momente des Geschlossenen und Kreisenden, des Runden als Symbol für die Ganzheitlichkeit der menschlichen Psyche bilden ein herausragendes Stilelement in ihren Kinderbildern. Das vor allem in Paula Modersohn-Beckers späten Arbeiten immer wichtiger werdende Rundmotiv als »ein Symbol der Seele, welcher schon von Plato Kugelgestalt zugeschrieben wurde« (Aniela Jaffé), verweist auf das Streben der Künstlerin, die eigene wie auch die fremde menschliche Existenz total mit allen Sinnen und Bewußtseinsfunktionen zu erfassen. Gerade bei der kindlichen Schilderung spielen die durch das Gerundete hervorgehobenen Momente des Schutzes und der Geborgenheit, aber auch das In-sich-Befangensein des Kindes eine besondere Rolle, wie sie in den attributiven Motiven der Kette, der Kugel oder der Scheibe als Standfläche häufig zum Ausdruck kommen (Abb. 2, 5, 19, 29–31).

Man kann allein anhand der Kinderbildnisse deutlich die rasche und kontinuierliche Entwicklungslinie der Künstlerin erkennen. Die frühen Beispiele sind noch ganz im akademischen Naturalismus befangen und weisen im Vergleich zu den späteren wesentlich subjektivere und porträtähnlichere Züge auf (Abb. 1, 8, 9). In dieser Zeit klingen hin und wieder jugendstilhafte Stilelemente an wie etwa bei dem schon erwähnten Gemälde der kleinen Vogeler-Tochter oder dem »Kind mit Kaninchen« (Abb. 6), das thematisch in engem Zusammenhang mit Vogelers Bild »Der Frühling« von 1898 steht. Mit fortschreitender Abstraktion hebt Paula Modersohn-Becker die individuelle Physiognomie und die Charakteristik der Umgebung auf eine allgemeinere Ebene. Der grundsätzlichen Aussage über das kindliche Wesen wird mehr Bedeutung beigemessen als dem Studium der Gesichtszüge und des Körpers. Dies wird bereits um 1904 bei dem »Mädchen mit Kind« (Abb. 15) sehr deutlich oder zwei Jahre später auf noch stilisiertere Weise bei dem »Mädchen zwischen Feuerlilien« (Abb. 27).

Ein Mädchenakt von 1899 zeigt jedoch, wie früh sie bei aller Mühe um einen naturgetreuen Realismus ihren ganz persönlichen Ausdruckstendenzen Gestalt zu geben wußte; dem damals vorherrschenden Impressionismus setzte sie klare Konturen, deutliche Formen und Monumentalität entgegen (Abb. 1). In dieser Kinderaktstudie wird auf alles Unwesentliche, Anekdotische und Zeitgebundene verzichtet. Statt eines unbefangenen, lieblichen Wesens haftet dem Kind ein fast sturer Ernst, eine schroffe Unzugänglichkeit an, die durch den warmen Rotton des Hintergrundes äußerst geschickt und sensibel aufgefangen wird.

Gerade das häufig auftauchende Motiv des Kinderaktes, bei dem alles Zeitgebundene, Beschönigende und Situative ausgeschaltet wurde, gibt Einblick in die künstlerische Variationsbreite und stilistische Entwicklung der Malerin. Ein mit Kohlestift in Paris gezeichneter frontaler Mädchenakt (Abb. 2), der möglicherweise schon 1900 entstanden ist, bekundet in seiner Flächenhaftigkeit und in der Betonung der Linie die Nähe der Künstlerin zu der noch dem Jugendstil verpflichteten Monumentalkunst etwa eines Ferdinand Hodler. Gleichzeitig nähert sich diese Zeichnung stilistisch der freien, dekorativen Auffassung Gauguins.

Um das Jahr 1906 äußert sich der starke Eindruck, den Gauguins symbolistische Gemälde auf sie machten – zum Beispiel in dem »Kinderakt mit Storch« (Abb. 30) – ganz offensichtlich. In der dekorativen, linear betonten Stilisierung und exotischen Farbenpracht sind fremde Stileinflüsse unverkennbar[8]. Dennoch ist die Komposition des statuarisch-feierlich auf einer Scheibe knienden Kindes in seiner scheuen Befangenheit vor einer bäuerlich-paradiesischen Hintergrundkulisse insgesamt dem Naturlyrismus von Worpswede verpflichtet. Der Storch, die Früchte, der Perlenkranz und die Nacktheit des Kindes als Allegorien der Unschuld und Ursprünglichkeit werden als traditionsreiche Symbole meisterhaft in die Gesamtkomposition einbezogen.

Diesen gleichnishaften Charakter wollte Paula Modersohn-Becker in ihren Kinderdarstellungen besonders betonen, weniger die der Thematik naheliegendere heitere Spielatmosphäre. Nur bei den Skizzen und Zeichnungen, in denen vorwiegend flüchtige Impressionen festgehalten wurden, findet man – häufig szenisch gebunden – die Unbefangenheit einer kindlich verspielten Welt (Abb. 7, 28)[9].

Paula Modersohn-Becker sah sich stets als Suchende und Lernende, und wie jede ernsthafte Künstlernatur war sie bemüht, fremde Eindrücke und Kulturen auf sich einwirken zu lassen. So hat sie sich immer an solchen Meistern geschult, denen eine Vorliebe zur vereinfachten, ausdrucksstarken Form eigen war, zum Beispiel denen der griechischen, ägyptischen und byzantinischen Kunst, der gotischen und asiatischen Plastik und an den Malern der europäischen Renaissance. Ihr Streben nach Form und Linie, in dem sie ganz in der deutschen Tradition steht, wird besonders in dem Gemälde »Nacktes Mädchen mit Apfel« von 1906 (Abb. 31) deutlich, das sowohl an Cranachs »Venus« als auch an Dürers »Eva« erinnert. Im Vergleich zu den vorangegangenen Kinderakten sind die Haltung und die Umrißformen nun sehr viel weicher und fließender. Stellt man schließlich die frühe Farbkreiden-studie aus dem Jahre 1899 (Abb. 1) der späten Skizze »Am Boden sitzendes Kind mit Halskette« von 1906 (Abb. 29) ge-genüber, so wird die ungeheuer rasche Entwicklung, gleichzei-tig der Mut der Malerin zur künstlerischen Freiheit deutlich. Diese Zeichnung distanziert sich von allen Konventionen, von denen Paula Modersohn-Becker bereits 1900 behauptet hatte, man müsse sie besessen haben, um sich dann von ihnen abwenden zu können. Dahinter stehen Jahre täglicher mühe-voller Arbeit, die jegliche Kritik an ihren zeichnerischen Fä-higkeiten verstummen lassen. Mehr als jedes andere Bild be-rührt gerade diese Zeichnung durch die Schüchternheit und Trauer des wie ein einsames Tier am Boden kauernden Kindes.

In ihren strengen, ausschnitthaften Einzelporträts kommt die starke Verwandtschaft zur italienisch-deutschen Bildnis-tradition der Renaissance zum Vorschein. Der »Kopf Elsbeth« – entstanden 1904 (Abb. 19) – steht in der isolierten Wieder-gabe des leicht gewendeten, perlengeschmückten Kopfes den beseelten, formschönen Frauenbildnissen der Florentiner Ma-ler des 15. Jahrhunderts, etwa denen eines Botticelli oder Leo-nardo da Vinci, sehr nahe. Das »Mädchenbildnis« von 1905 (Abb. 20) in seiner streng-frontalen Haltung und in der leicht manierierten Betonung der Handgestik berührt sich wieder eng mit Bildnissen Holbeins oder Dürers, aber auch der italienischen Maler des 16. Jahrhunderts (Bronzino, Perugino). Die dennoch typische Gestaltungsweise Paula Modersohn-Bekkers ergibt sich aus der Verbindung klassischer Formschönheit und der ihr eigenen Menscheninterpretation, dem satten, anfangs dunkeltonigen, später immer helleren, leuchtenderen Kolorit.

In dem »Kinderkopf mit weißem Tuch« (Abb. 3), der wohl kaum vor 1900 entstanden sein wird, beschäftigt sich Paula Modersohn-Becker mit formalen Problemen, wie sie in der französischen Malerei kurz zuvor aufgeworfen worden waren. Das ernste, blasse Kindergesicht, völlig losgelöst von seiner Umgebung, lebt weniger von individuellen kindlichen Zügen als vielmehr von der Kraft und der Emotionalität der Linienführung. Das Streben zur geschlossenen, großen und dekorativen Formgebung, das sich in diesem Porträt äußert, überrascht, denn gerade das Kinderbild war in seiner langen Tradition bisher kaum ohne gefühlsbetonte Züge denkbar. Die ausgeprägte Flächenhaftigkeit und ornamentale Linienführung, das silhouettenhafte Abheben vom Hintergrund, verweisen deutlich auf den Umkreis der französischen Nabis-Malerei. Man darf annehmen, daß Paula Modersohn-Becker mit dem Symbolismus jenes Künstlerkreises um Gauguin bereits vertraut gewesen ist.

In der nahsichtigen und monumentalen Auffassung vergleichbar ist das etwa ein Jahr später entstandene »Bildnis eines kranken Mädchens« (Abb. 4). Hier geht es nicht ausschließlich um formale Probleme, sondern auch um die seelische Verfassung eines leidenden Kindes. In der menschlichen Intensität, mit der das bei aller Derbheit sensible Mädchengesicht erfaßt wird, steht dieses Bildnis den Darstellungen

54

kranker, einsamer Kinder – wie man sie zur gleichen Zeit bei Käthe Kollwitz oder Edvard Munch findet – nahe; nicht jedoch in der Intention. Ebenso bieten sich Vergleiche mit den Krankheitsdarstellungen von Kindern in der Porträtplastik an, etwa bei Medardo Rosso[10]. Die bei Paula Modersohn-Becker relativ häufig erscheinende Thematik des Kranken, Schwächlichen und Leidvollen als der der Natur am nächsten stehenden Kreatur findet sich auch bei dem »Kind in der Wiege« von 1903/04 (Abb. 9). Der enge Bildausschnitt macht die physiognomische Auffälligkeit des Säuglings besonders deutlich, den die Künstlerin wohl nicht zufällig mehrmals in Skizzen festgehalten hat: die klobige Nase, die wulstige Unterlippe, das fehlende Kinn und der leicht mongoloide Augenschnitt. Im Hinblick auf die besondere Hilflosigkeit dieses Kindes erscheint die schützende Einbettung in das Kissen und in die Wiege von um so größerer Dringlichkeit. Auch bei dem »Schlafenden Kind« (um 1904; Abb. 18), das fast eiförmig von dem karierten Würfelkissen umgeben wird, kommt das Bedürfnis des Kleinkindes nach Schutz und Geborgenheit formal meisterhaft zum Ausdruck. Bei aller persönlichen Emotion, die die Künstlerin gegenüber solchen Säuglingen empfunden haben mag, steht auch hier der Wunsch nach der klaren Erfassung des Objekts und des ihm eigenen Stimmungsgehaltes im Vordergrund. Recht treffend beschrieb einmal Heinrich Vogeler in seiner Erinnerung den Blick der Malerin als »forschend und warm«, wenn er »über das kleine Menschenkind in der Wiege gleitet«.

Dem ursprünglich weiblichen Trieb der Fürsorge begegnet man immer wieder in den Kinderbildnissen der Malerin. In zahlreichen Darstellungen von Mutter und Kind, von Geschwistern oder Kindern mit Tieren wird der Geste des Umschließens, des Festhaltens und Umarmens eine besondere Bedeutung beigemessen (Abb. 14, 16, 25, 26, 28, 32). In diesem Kompositionsmoment äußert sich die allumfassende humanitäre Liebesfähigkeit und Sinnlichkeit einer Frau, die die Einsamkeit wählte, um zu sich selbst zu finden, und die mitunter schroffe Urteile über ihre Mitmenschen fällte, weil sie hohe Ansprüche nicht nur an sich selbst stellte.

Das Gemälde »Stillende Mutter« von 1903 hat die naturhaft-animalische wechselseitige Hingabe von Mutter und Kind zum Thema (Abb. 8). Der scheue, trostlose Blick der jungen Mutter, der sich trotz der liebevollen gestischen Intimität mit dem Kinde im Ungewissen verliert, spricht von der Unentrinnbarkeit und Wiederholbarkeit dieses biologischen Vorgangs, der dem Kind gleichsam das Recht gibt, an den körperlichen und seelischen Kräften der Mutter zu zehren. Eine solche mehr von Einfühlung durchdrungene als sentimentale Darstellung kann keinesfalls nur mit den drängenden Inhalten einer weiblichen Psyche erklärt werden. Die Verbindung des Kindes mit der Mutter als das früheste menschliche Erlebnis war schon eines der bedeutsamsten Themen der italienischen Renaissancemaler, aber auch Picasso beschäftigte sich damit während seiner sogenannten blauen Periode.

Die Darstellung der Symbiose von Mutter und Kind findet einen einzigartigen Höhepunkt in dem Gemälde »Mutter und Kind« von 1906, zu dem die hier abgebildete Zeichnung eine von mehreren Vorstudien ist (Abb. 32). Die dumpfen, schweren Körper von Mutter und Kind lagern in einer animalisch anmutenden Konstellation auf der Erde. Die Harmonie der formalen plastischen Durchdringung und die Einfühlungs-

kraft, mit der die Künstlerin die Sinnlichkeit und Emotionalität der Situation erfaßt hat, ist unvergleichlich in der Kunst.
Paula Modersohn-Becker empfand solche menschlichen ele-
mentaren Geschehnisse auf mystische, fromme Weise. »Das
(gemeint ist die Mutterschaft) und der Tod, das ist meine
Religion, weil ich sie nicht fassen kann«, schrieb sie 1900 in
einem Brief an ihren Mann. Aus der Konfrontation von Mutterschaft und Tod beziehen einige ihrer eindrucksvollsten
Bilder die Intensität.

Wie weit Paula Modersohn-Beckers Menschen- und Natur-
schilderung über die Auffassung ihrer malenden Zeitgenossen
hinwegging, mag das Bild »Mädchen am Baumstamm« ver-
deutlichen, das dem damaligen Betrachter in seiner fast töl-
pelhaften Häßlichkeit anmaßend erschienen sein mußte
(Abb. 21). Die Künstlerin war sich dessen durchaus bewußt.
Schon 1903 schrieb sie: »... zu sehen, wie weit man gehen
kann, ohne sich um das Publikum zu kümmern«. Auch heute
noch wird uns die tiefere Bedeutung dieser Darstellung erst auf
den zweiten Blick zugänglich. Doch der Eindruck des wunder-
bar sich vom Birkenstamm abhebenden roten Kleides, die
Farbe und die Naivität der hellblauen Augen, die eins sind
mit dem wölkchendurchsetzten Himmel, haftet um so nach-
haltiger.

Andere Bilder sind wesentlich wärmer und ansprechender
in ihrem Stimmungsgehalt. Kaum ein Gemälde gibt die ein-
fach strukturierte, aber geborgene Lebenswelt der damaligen
Worpsweder Menschen so unmittelbar wieder wie das Bild der
Bäuerin, die sich stolz-verlegen mit ihren neugierigen Kindern
im Wald malen läßt (Abb. 14). Die monumentale Dreiecks-
komposition, die nahsichtige Auffassung im Freilicht und die

braun-rote Farbskala sind charakteristische Stilelemente der Künstlerin zwischen den Jahren 1903 und 1905, wie wir sie in großzügiger zusammengefaßter Formgebung auch bei dem »Mädchen mit Katze im Birkenwald« finden (Abb. 25). Das völlig in sich befangene, melancholische Mädchen, das isoliert vom Hintergrundgeschehen an einen Baumstamm geschmiegt ist, erscheint ganz als das Produkt jener mystisch-romantischen Landschaft, mit der es sich in völliger Identität befindet.

Die früh erreichte formale und gehaltliche Konzentration der Menschendarstellung, »die malerische Idee um einen Menschen«, zeigt sich sehr eindringlich in aufrechten, frontal dem Betrachter zugewandten Kinderbildnissen wie dem »Sitzenden Mädchen mit verschränkten Armen« (Abb. 10) oder dem »Worpsweder Bauernkind auf einem Stuhl sitzend« (Abb. 22). Beide Kinder vermitteln durch ihre Nahansicht und Isolation, durch den schwermütigen Blick ihrer dunklen Augen und durch ihre in frühkindlichem Ernst verschränkten Arme und Hände einen unmittelbaren, fast suggestiven Eindruck.

Die Reduzierung der Darstellung auf die elementare Wesenhaftigkeit des Kindes, wie sie sich ebenso reizvoll in der Zeichnung der trompetenblasenden Mädchen oder des Jungen am Baum bietet (Abb. 24, 28), läßt bei Paula Modersohn-Becker meist nur einen fragmentarischen Hinweis auf die typische Lebensumwelt des Kindes zu. Es genügt bereits ein Bauernstuhl zur räumlich-situativen Verspannung, ein Musikinstrument, um den Spielcharakter der Kinder hervorzuheben. Tiere, Bäume, Blumen und Früchte als Metaphern für Wachstum, für Fruchtbarkeit und für die naturhafte, soeben erst knospende Welt des Kindes ersetzen jede anekdotische Schilderung. Was

Paula Modersohn-Becker immer wieder vor den in ihren Bildern auch als Kompositionselement bedeutsamen Birken empfand, trifft ebenso das Wesen der Kinder, »die zarten schlanken Jungfrauen ... mit jener schlappen träumerischen Grazie, als ob ihnen das Leben noch nicht aufgegangen sei«.

Vor allem aufgrund der damals in ihren Kinderbildnissen vermißten Sentimentalität und Gefälligkeit, an deren Stelle die Künstlerin ein klares, verständnisvolles Erforschen setzte, stehen Paula Modersohn-Beckers Kinderbilder unserem heutigen Bestreben, das Kind in seiner existentiellen, unklischeehaften Verhaltensweise zu begreifen, näher als alle bisher überlieferten. Sie könnten dazu beitragen, uns weniger rational-wissenschaftlich, dafür um so menschlicher mit der im Tiefsten schwer faßbaren Welt des Kindes auseinanderzusetzen.

ANMERKUNGEN

1 Vgl. folgende Ausstellungskataloge: Paula Modersohn-Becker zum hundertsten Geburtstag. Gemälde, Zeichnungen, Graphik, Bremer Kunsthalle, Bremen 1976; Paula Modersohn-Becker. Zeichnungen, Pastelle, Bildentwürfe, Kunstverein Hamburg, Hamburg 1976. Christa Murken-Altrogge, Paula Modersohn-Becker. Leben und Werk. Köln 1980.

2 Vgl. Sophie D. Gallwitz (Hrsg.), Paula Modersohn-Becker. Briefe und Tagebuchblätter, München ^{10}1927.

3 Dieses Bild, das angeblich nur ein Fragment eines größeren Gemäldes darstellt, soll von Heinrich Vogeler vollendet worden sein.

4 Zur damals umstrittenen Frage der deutschen Wertschätzung und Bevorzugung französischer Kunst gegenüber der deutschen seitens der Galerien und Museen ist folgende Broschüre von außerordentlichem Interesse: Im Kampf um die Kunst. Die Antwort auf den »Protest deutscher Künstler«. Mit Beiträgen deutscher Künstler, Galerieleiter, Sammler und Schriftsteller. Piper Verlag, München 1911.

5 Vgl. C. Murken-Altrogge, Der französische Einfluß im Werk von Paula Modersohn-Becker. In: Die Kunst 87 (1975), S. 145–152.

6 Vgl. Helen Kay, Picassos Welt der Kinder, München 1966.

7 Dazu Daniel-Henry Kahnweiler in einem Brief vom 9. Juli 1975 an die Verfasserin: »Es ist im Prinzip sicher möglich, daß Paula Modersohn-Becker zu Gertrude Stein kam, denn die Steins empfingen viele ausländische Künstler...«

8 Paul Gauguin stellte seit 1897 bei seinem Vertragshändler Ambroise Vollard aus. In den Jahren 1903 und 1906 hatte er eine Gedächtnisausstellung im Salon d'Automne in Paris.

9 Vgl. Günter Busch, Paula Modersohn-Becker. Handzeichnungen, Bremen 1949. Ders., Paula Modersohn-Becker. Aus dem Skizzenbuch, München 1960.

10 Vgl. Christa Murken-Altrogge und Axel Hinrich Murken, Das Gesicht des kranken Kindes in der Porträtplastik. In: Kurz und Gut 9 (1975), H. 4, S. 9–13. Dies., Kinder, Kranke, Alte und Sieche: Symbole menschlicher Hinfälligkeit und Größe. Medizinisches im Werk von Paula Modersohn-Becker. In: Deutsches Ärzteblatt 18 (1974), S. 1433–1437.

ABBILDUNGSVERZEICHNIS

Leinwand, 70 × 58,8 cm
Landesgalerie im Niedersächsischen Landesmuseum, Hannover

9 *Kind in der Wiege.* Um 1903/04
Kohle auf Papier, 25,6 × 28,2 cm
Kunsthalle Bremen

10 *Sitzendes Mädchen mit verschränkten Armen.* Um 1903
Leinwand, 54,2 × 43 cm
Roselius-Haus, Bremen

11 *Mädchen mit Katze.* Um 1903
Leinwand, 72 × 49 cm
Privatbesitz

12 *Zwei Mädchen.* Um 1905
Leinwand, 70 × 100 cm
Gemeente Museum Amsterdam

13 *Kind auf Kissen.* Um 1903/04
Aquarell, 17,5 × 22,5 cm
Graphisches Kabinett Wolfgang Werner KG, Bremen

14 *Bäuerin mit zwei Kindern am Birkenstamm.* Um 1903/04
Pappe, 59 × 70 cm
Privatbesitz

15 *Mädchen mit Kind.* Um 1904
Karton, 44,5 × 50 cm
Haags Gemeentemuseum, Den Haag

16 *Zwei Kinder.* 1904
Pappe, 38 × 50 cm
Aus Georg Biermann, Paula Modersohn-Becker.
In: Junge Kunst 2, Leipzig und Berlin 1927,
Taf. 6 (Original verschollen)

17 *Der Kinderwagen.* 1904
Pappe, 50 × 72 cm
Haus am Weyerberg, Worpswede
(Reproduziert nach einem Kunstdruck des Verlages Haus
am Weyerberg, Worpswede)

18 *Schlafendes Kind.* Um 1904
Leinwand, 62,5 × 69,5 cm
Privatbesitz

19 *Kopf Elsbeth.* Um 1904
Pappe, 26 × 24 cm
Privatbesitz

20 *Mädchenbildnis.* 1905
Leinwand, 41 × 33 cm
Von-der-Heydt-Museum, Wuppertal

21 *Mädchen am Baumstamm.* Um 1905
Leinwand, 56 × 57,5 cm
Privatbesitz

22 *Worpsweder Bauernkind auf einem Stuhl sitzend.* 1904/05
Leinwand, 90 × 61 cm
Kunsthalle Bremen

23 *Bildnis eines kleinen Mädchens.* Um 1905
Kreide auf Papier, 18,8 × 16,3 cm
Kupferstichkabinett Basel

24 *Zwei Bauernmädchen mit Trompeten.* Um 1905
Kohle auf Papier, 41,3 × 27,9 cm
Roselius-Haus, Bremen

25 *Mädchen mit Katze im Birkenwald.* 1905
Leinwand, 99 × 81,5 cm
Roselius-Haus, Bremen

26 *Zwei Mädchen* (Halbfiguren). Um 1906
   Pappe, 58,5 × 40 cm
   Privatbesitz

27 *Mädchen zwischen Feuerlilien.* 1906
   Leinwand, 70,3 × 34 cm
   Roselius-Haus, Bremen

28 *Junge am Baum.* Um 1906 (?)
   Kohle auf Papier, 26,9 × 21 cm
   Von-der-Heydt-Museum, Wuppertal

29 *Am Boden sitzendes Kind mit Halskette.* 1906
   Kohle auf Papier, 24,2 × 16,3 cm
   Kunsthalle Bremen

30 *Kinderakt mit Storch.* 1906
   Leinwand, 73 × 59 cm
   Privatbesitz

31 *Nacktes Mädchen mit Apfel.* 1906
   Leinwand, 45,2 × 23 cm
   Roselius-Haus, Bremen

32 *Mutter und Kind.* Um 1906
   Kohle auf Papier, 22,9 × 31,2 cm
   Kunsthalle Bremen

* Die genaue chemische Zusammensetzung der Gemälde Paula Modersohn-Beckers steht nicht fest. Sie malte zumeist mit Tempera oder einem Öltempera-Gemisch, seltener mit reinem Öl.